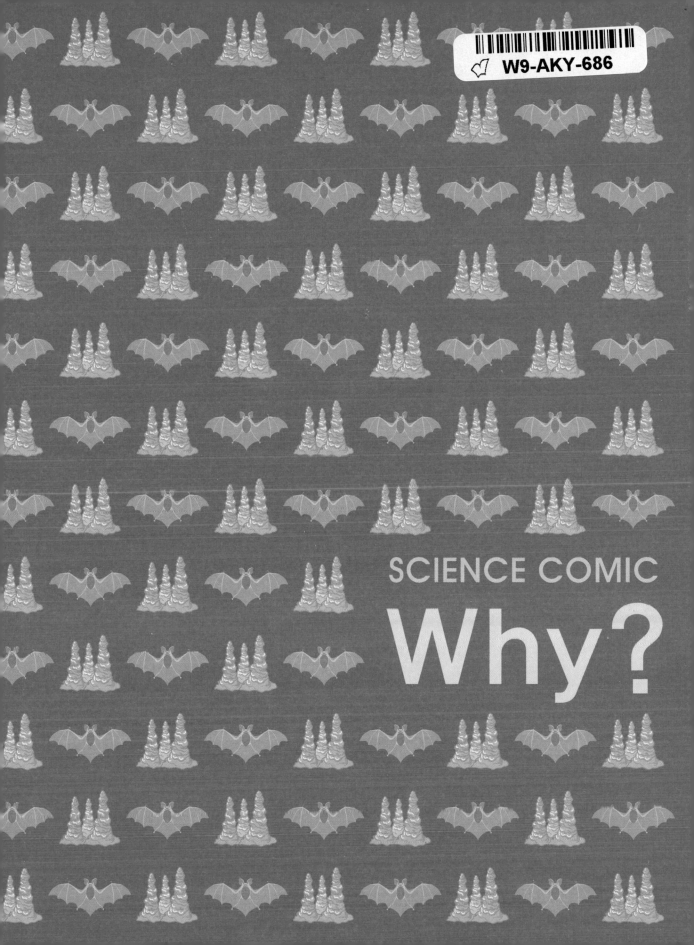

SCIENCE COMIC

Why?

Why? 동굴

 예림당

Staff

내용을 꼼꼼히 감수해 주신 분

우경식

서울대학교 해양학과를 졸업하고 미국 텍사스 주립대학에서
석사학위를, 일리노이 주립대학에서 지질학으로 박사학위를
받았습니다. 주로 동굴지질학과 퇴적학, 해양지질학,
석유지질학을 연구하며, 저서로는 〈동굴〉이 있습니다.
현재 한국동굴연구소 소장, 국제동굴연맹 사무부총장
강원대학교 지질학과 교수로 재직중입니다.

밑글을 재미있게 써 주신 분

정수은

잡지사에서 기자로 활동하다 현재는 여러 동화 작가의
모임인 '우리누리' 에서 어린이의 눈빛으로 생각하는
다양한 책을 쓰고 있습니다. 지은 책으로는
〈머리가 좋아지는 만화 이야기편, 인물편, 학습편〉
〈나라를 지킨 호랑이 장군들〉〈천 년을 만든 사건 20〉
〈세상 모든 나라에서 찾아낸 문화의 비밀〉 등이 있습니다.

재미있고 알기 쉽게 만화를 그려 주신 분

강진호

1997년 프리랜서 만화로 데뷔하였습니다. 펴낸 책으로는
〈우아앙, 재밌다〉〈타임머신〉〈박문수전〉〈복제인간〉
〈탑블레이드 1,2권〉〈안녕, 형아 1,2권〉〈서동요〉 등이
있습니다. 현재 어린이들에게 꿈과 희망을 줄 수 있는
만화를 제작하기 위해 노력하고 있습니다.
e-mail: sangchu74@yahoo.co.kr

편집 상무 | 유인화
기획 및 편집 책임 | 백광균
편집 | 연양흠 박효정 박혜란 김주연
사진 | 김창윤
디자인 | 이정애 김수인 이보배
제작 | 정병문 조재현 전계현
마케팅 | 김영기 채청용 정학재 지재훈
　　　　김희석 김혜정 김경봉 정웅
사진자료협조 | 석동일 우경식

2006년 6월30일 1판1쇄 발행
2007년 6월11일 1판6쇄 발행

펴낸이　나성훈
펴낸곳　(주)예림당
등록　제 4-161호
주소　서울특별시 강남구 삼성동 153
대표전화　566-1004
팩스　567-9660
http://www.yearim.co.kr
ISBN　978-89-302-0646-4 73450
© 2006 예림당

 **동굴**을 내면서

'동굴' 하면 여러분은 어떤 생각이 가장 먼저 떠오르나요?

어둡고 축축하고 왠지 소름이 끼친다고요?

무시무시한 흡혈박쥐가 당장이라도 튀어나올 것 같다고요?

그렇다면 반대로 이런 생각을 해 본 적은 있나요?

아주 오랜 옛날 누군가 몰래 보물을 가득 숨겨 놓지는 않았을까,

한 번도 본 적 없는 신기한 생물들이 살고 있지는 않을까,

지하 세계로 들어가는 비밀 통로는 아닐까….

지구상에는 엄청나게 많은 동굴이 있어요. 지금까지 알려진 것도 많지만

그렇지 않은 것도 아직 많다고 해요.

동굴은 여러 종류로 나누는데, 물의 힘으로 석회암이 깎여 생겨난 석회동굴,

용암이 굳으면서 생긴 용암동굴, 파도에 깎여 생긴 해식동굴이 대표적이지요.

이 밖에도 얼음동굴, 사암동굴 등 무척 다양해요.

또한 석회동굴에는 종유석, 석순, 석주를 비롯해 동굴산호와 동굴진주

등 갖가지 동굴 생성물이 가득해요. 그런데 이것들은 물 한 방울로

시작되어 몇 십만 년 동안 자란 아름다운 보물들이지요. 너욱 신기한

것은 용암동굴에도 석회동굴의 동굴 생성물이 자란다는 사실!

한줄기 빛도 들어오지 않는 캄캄한 암흑의 세계, '동굴'!

그 속에는 지금껏 우리가 몰랐던 '놀라운 세계'가 기다리고 있어요.

이 책을 읽다 보면 동굴의 제왕 박쥐를 비롯해, 화석 동물이라

불리는 갈르와벌레 등 동굴 생물들도 만날 수 있답니다.

자, 지금부터 신비하고 아름다운 보물이 숨겨 있는

지하 궁전으로 함께 탐사를 떠나 볼까요?

Contents

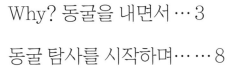

동굴의 생물

세계의 동굴

Character

탐사대장
전문 동굴 탐험가.
아이들에게 직접
동굴 탐사를 시켜
동굴의 신비함을
깨닫게 한다.

꾸미
꼼지의 동생. 어려서
동굴 탐사대에 못 끼자
몰래 동굴 탐사대를
뒤따라가 말썽을 일으킨다.

부차
임지 아빠가 만든 동굴
탐사용 변신 로봇. 동굴
탐사대가 위험에 빠질
때마다 도움을 준다.

꼼지
덜렁대고 엉뚱하고
겁이 많다. 하지만 천진
난만하다. 동굴 탐사를
하면서 새삼 자연의
신비에 감동한다.

엄지
똑똑하며 동굴 탐사도
진지하게 한다. 꼼지와는
토닥거리지만 몰래 쫓아
온 꾸미는 잘 보살피고
이끌어 준다.

10

11

14

석회암과 카르스트 지형

또한 동굴은 형성 과정과 주변의 암석에 따라 석회동굴, 용암 동굴, 해식동굴로 나눈다.

그 중 석회동굴이 전 세계 동굴의 약 90퍼센트를 차지하지.

우리가 먼저 보러 갈 동굴도 석회동굴이야.

그런데 삼촌, 석회암이 뭐예요?

저도 궁금해요.

부우웅

석회암은 퇴적암의 하나야. 그럼 퇴적암은 뭐냐! 강이나 호수, 바다 같은 곳에 쌓인 퇴적물들이 땅속으로 묻히면서 압력과 여러 지질학적 영향으로 굳어진 암석을 말해.

퇴적암

팟

또한 따뜻하고 얕은 바다에 살던 산호와 조개, 그 외의 생물들이 죽어서 바다 밑에 쌓이면 탄산칼슘 성분인 껍데기 부분이 쌓이게 되어 탄산염퇴적물이 만들어진다. 이 탄산염퇴적물이 오랜 세월이 흘러 암석으로 변하면 석회암이 된다.

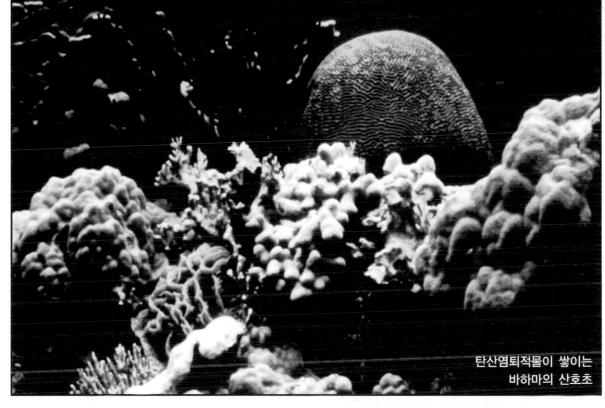

탄산염퇴적물이 쌓이는
바하마의 산호초

| Photo by 우경식 |

바다에 살던 생물들의 잔해가 쌓여 석회암이 만들어졌기 때문에 석회암에는 다양한 생물 화석이 존재한단다.

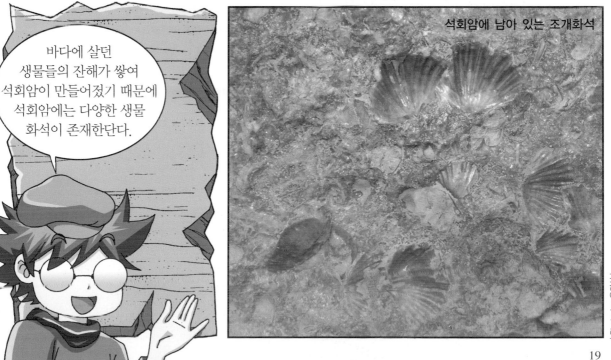

석회암에 남아 있는 조개화석

| Photo by 우경식 |

또한 석회암이 넓게 퍼져 있는 지역에선 독특한 형태인 카르스트 지형을 볼 수 있어.

카르스트 지형이요? 카스텔라도 아니고.

어이구, 넌 뭐든 먹는 거랑 연결시키더라?

쩝ー

하하, 녀석. 카르스트 지형은 산성비에 석회암이 녹아 독특한 형태를 띠고 있어. 그래서 비가 많이 내리는 지역에서만 볼 수 있지.

드륵

또한 암석의 조직은 치밀하고 틈은 많아서 지하수가 쉽게 침투할 수 있어야 해.

슈우웅

아하, 그렇구나!

전 세계적으로 유명한 카르스트 지형은 빌칸반도를 비롯해, 유럽 중남부, 중국 남서부, 동남아시아, 러시아, 남아메리카, 오스트레일리아, 프랑스 남부, 스페인의 안달루시아 등을 들 수 있다.

베트남 할롱 만의 답카르스트

| Photo by 우경식 |

21

동굴 탐사할 때 필요한 장비

동굴 탐사는 그냥 구경하는 게 아니야. 한 치 앞도 못 보는 어둠 속에서 동굴의 크기, 높낮이,

형태를 모르는 채 모험하는 거야. 그러니까 한눈팔지 말고 잘 따라와야 한다, 알겠니?

네! 알겠습니다. 전 벌써부터 막 흥분돼요.

하나 둘, 하나 둘!

붕 붕

꼼지야, 지금 뭐 하는 거니?

동굴 안에 들어가면 위험한 일이 생길 수도 있으니까 몸을 풀어야죠. 그래야 엄지를 지켜 주죠.

하하, 녀석, 엉뚱하긴!

됐거든! 너나 조심하세요.

쳇! 좋은면서 괜히 그래~잉!

25

자, 그럼 준비해 온 장비들을 하나씩 점검해 보자.

주섬 주섬

짜잔~

탐사복은 모두 잘 입은 것 같구나.

탐사복은 잘 찢어지지 않는 질긴 옷감으로 만든 것이 좋다. 또한 동굴 속에 삐쭉 튀어나온 생성물에 옷이 걸리지 않도록 주머니가 없고, 위아래가 붙은 옷이 활동하기에 편하다.

아울러 동굴은 통로가 매우 좁아 기어가야 하는 곳이 많기 때문에 무릎보호대나 팔꿈치보호대를 준비하는 것이 좋다.

삼촌, 전 물에 젖지 않도록 장화도 준비했어요.

그래그래, 아주 잘했다.

28

수직 동굴이나 동굴 내의 특수 지형을 통과할 때는 마모되지 않는 단단한 동굴용 밧줄도 꼭 필요하다.

영차 영차

이 외에 사진기, 휴대용 사다리, 휴대용 고무보트도 준비한다. 그러나 이런 것들은 전문가용이다.

자, 각자 짐을 나누어서 들도록 하자.

삼촌, 나침반도 있어야 하죠?

당연하지. 동굴에서 길을 잃지 않으려면 나침반은 필수야.

자, 모두 마음의 준비는 됐겠지?

네, 대장님!

부차야, 안내를 부탁한다! 너희는 부차를 따라가거라.

파닥 파닥 파닥

석회동굴의 생성 과정

삼촌, 동굴 바닥에 물이 흐르고 있네요.

응, 그건 지하수야.

지하수요?

아까 카르스트 지형 얘기할 때 석회암에 대해 말한 것 기억하지?

네, 기억해요.

석회암은 산성을 띤 지하수에 쉽게 녹는 성질이 있어. 이 동굴도 그런 특성 때문에 만들어진 거거든.

말하자면 여기 발 밑으로 흐르고 있는 이 지하수가 바로 동굴을 만든 주인공인 셈이야.

하늘에서 내리는 비(H_2O)는 공기 중에 떠다니는 이산화탄소(CO_2)와 만나면 약한 산성을 띠게 된다♥

동식물 같은 유기물이 썩으면 유기산이 발생하는데, 이 때 대기 보다 300배에 달하는 이산화탄소 양이 토양에 있을 수 있다.

따라서 땅 위로 떨어지는 빗물은 토양을 지나면서 더 강한 산성을 띤 지하수가 된다.

지하수가 오랜 세월 동안 석회암의 약한 틈을 타고 들어가 여기저기를 파고 깎으면 석회동굴이 만들어진다.

우리가 여기를 더 깊게 깎아 내릴까?

좋아좋아. 어서 시작하자.

석회암이 지하수에 의해 계속 녹으면 동굴은 확장되고
동굴 주위의 계곡이 깊어지면서 지하수면이 낮아진다.
지하수면이 계속 낮아지면 다층 동굴이 만들어지기도 한다.

지금까지가
석회동굴이 만들어
지는 과정이야.

그런데 삼촌,
지하수면이
뭐예요?

땅속에 있는 암석의
틈 사이가 모두 물로
채워지기 시작하는
면을 말해.

지하수면 근처의 지하수는 땅 위에
서 지하로 흘러내리는 물과 지하를
가로지르는 물이 섞여서 산성을 띠
게 된다. 이 때문에 지하수면 근처
의 석회암은 물에 더욱 잘 녹아 동
굴이 쉽게 만들어지는 것이다.

동굴이 만들어지고 나면 그 다음에는
동굴의 천장과 바닥, 벽 등에 종유석
과 석순 등이 만들어진다.

이것을
'동굴 생성물' 이라고
하는데, 아주 오랜
시간에 걸쳐
만들어지지.

동굴탐험

로그탐험

관음굴의 폭포

삼촌, 저 앞에 폭포가 있어요!

와! 아름답다.

엄지야, 차갑지롱. 히히.

차악

꺅

어유, 역시 애들은 애들이라니까. 못 말려!

꼼지 너, 거기 안 서!

애들아, 뛰지 마!

후닥닥

대장님, 근데 동굴 안에 어떻게 이런 폭포가 생길 수 있죠?

폭포는 동굴이 여러 층일 때 아래층으로 물이 흐르면서 생기거나

혹은 동굴 바닥에 더 약한 암석이 있을 때 이 암석이 파이면서 만들어 지게 돼.

그런데 찬물이 흘러서 그런지 처음 들어왔을 때보다 추위가 너 느껴져요.

그건 물의 온도가 낮아서 그래. 동굴의 기온은 동굴의 종류와 상관없이 동굴의 위치나 주변의 기후에 따라 각각 달라. 하지만 한 동굴의 기온은 일 년 내내 일정하게 유지된단다.

예를 들어 열대지방에 있는 동굴은 바깥의 온도와 비슷한 섭씨 30도 이상의 온도를 나타낸다.

여기도 덥긴 마찬가지군. 어유, 더워.

반면 추운 극지방의 동굴은 항상 영하의 온도를 유지한다.

잠시 쉬려고 들어왔더니만 오히려 얼어 붙겠네.

그리고 우리나라처럼 온대 지방의 동굴은 대부분 섭씨 12~15도 를 유지하지.

활동하기에 딱 좋은 온도 네요.

좀더 안으로 들어가 볼까?

예!

38

꾸미의 등장

떨어지는 물방울과 종유관

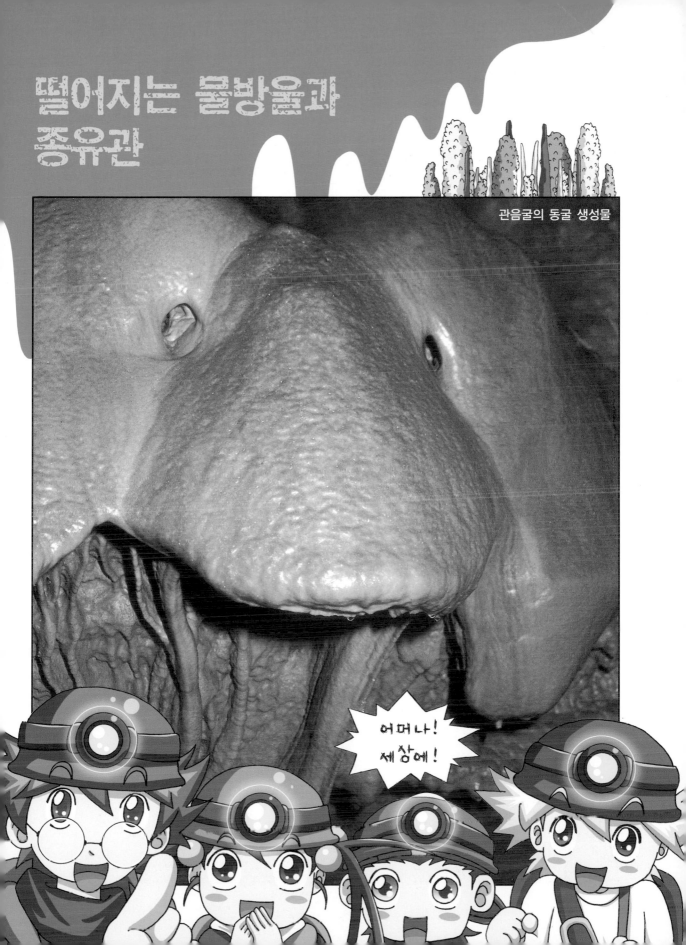

관음굴의 동굴 생성물

어머나! 세상에!

관음굴의 종유관

빨대처럼 생긴 이 대롱은 종유관이야. 그 밑에 물방울이 맺혀 있지?

이 물방울은 지름이 5밀리미터에 불과하지만 아주 놀라운 힘을 가지고 있단다.

놀라운 힘이요?

동굴 생성물에 딜린 물방울

영롱한 게 참 예쁘네요.

47

종유석, 석순, 석주

고수동굴의 종유석

물의 양이
많아지면 종유관 안이
막히거나, 밖에 침전물이
쌓이고 두꺼워지면서
'종유석'이 돼.

종유석은 '돌고드름'이라고 부르기도 한다.

와, 정말 당근
같다. 한 번 먹어
볼까? 히히.

저기 보이는 종유석은
아래로 갈수록 폭이
좁아지면서 밑 부분이 뾰족한
'당근형 종유석'으로 가장
대표적인 모습이지.

서대굴의 종유석

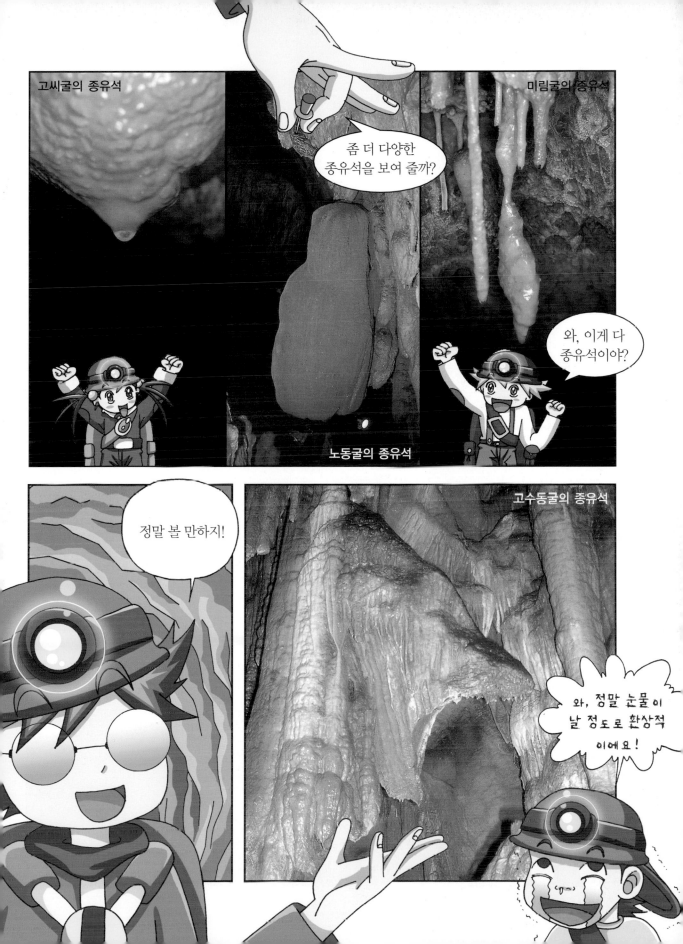

고씨굴의 종유석

미림굴의 종유석

좀 더 다양한 종유석을 보여 줄까?

와, 이게 다 종유석이야?

노동굴의 종유석

정말 볼 만하지!

고수동굴의 종유석

와, 정말 눈물이 날 정도로 환상적이에요!

대장님, 여기 바닥에서 솟아 오른 건 뭐예요?

아, 이건 석순이란다.

관음굴의 종유석과 석순

석순은 바닥에서 솟아오른 게 아니야. 위를 쳐다봐.

종유석 끝에서 떨어지는 물방울로 인해 만들어진 거야.

툭

석순은 종유석으로부터 물방울이 떨어지는 지점에서 위쪽으로 자란다.

물이 동굴 바닥에 부딪히거나 석순의 표면을 따라 흘러내릴 때 물방울에서 이산화탄소가 빠져나가면서 석순은 자라지.

관음굴의 석순

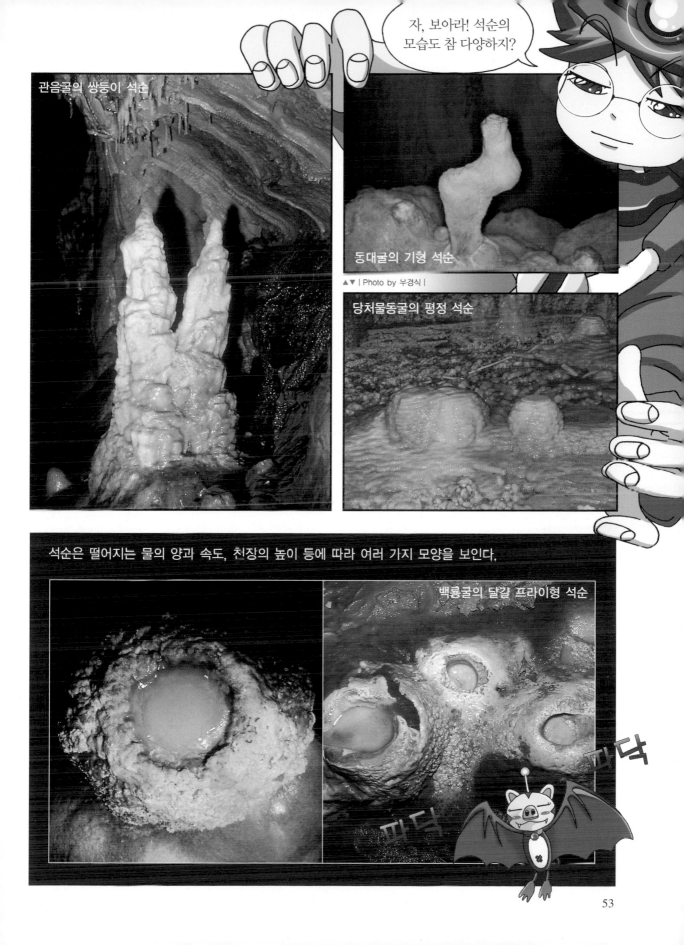

자, 보아라! 석순의 모습도 참 다양하지?

관음굴의 쌍둥이 석순

동대굴의 기형 석순

▲▼ | Photo by 우경식 |

당처물동굴의 평정 석순

석순은 떨어지는 물의 양과 속도, 천장의 높이 등에 따라 여러 가지 모양을 보인다.

백룡굴의 달걀 프라이형 석순

파닥

파닥

그리고 이건 '석주'야.
종유석이 천장에서 아래로
계속 자라고, 석순이 바닥에서
위로 계속 자라다가 서로 만나
기둥이 된 걸 말하지.

지잉

와~, 진짜
서로 자라면서
만났네!

백룡굴의 석주

백룡굴의 석주

너무 멋져요!

꼭 조각 작품 같아요.

석주는 석회 성분의 광물이 쌓여 점점 굵어지는데 여러 가지 모양의 장식들로 매우 화려하게 발달돼 있는 깃도 있어.

화암굴의 석주

전 그냥 석주가 하도 신기해서….

내 혼날 줄 알았어. 아수 쌤통이다.

동생인 나 보다 어째 더 철이 없을까!

애들아, 나 좀 봐.

꼼지야, 얼른 내려 와! 너 혼난다!

55

꼼지 넌 장난으로 하는 짓이겠지만, 그 장난으로 몇 만 년, 아니 몇 십만 년 동안 자라온 귀중한 생성물이 망가질 수도 있어.

헉, 저게 몇 십만 년에 걸쳐 만들어졌다고요?

스우우

그래. 이걸 봐. 종유석을 자른 단면이야. 가운데에 물방울이 흘렀던 구멍도 보이지?

종유석의 단면

1/100 0 1 2 3 4

요만큼 자라는데 몇 십만 년이 걸리다니….

근데 나이테 같은 무늬가 있네요.

그건 종유석이 자라면서 생긴 성장선들이야.

커튼과 유석

고수동굴의 커튼

엄지야, 저것 꼭 삼겹살 같지 않니?

아, 삼겹살 얘기 하니까 배고파진다!

근데 대장님, 삼겹살 같은 저건 뭐예요?

삼겹살? 하하하. 제대로 표현을 딱 맞히네. 저건 '커튼'이야.

커튼은 지하수가 경사진 동굴 천장이나 벽면을 흐를 때 석회 성분의 광물이 수직으로 자라 면서 뻗어 내린 것을 말해.

커튼이요?

동굴에 웬 커튼?

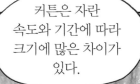

커튼은 자란 속도와 기간에 따라 크기에 많은 차이가 있다.

큰 것은 폭과 길이가 수십 미터에 이르는 것들도 있어.

커튼이 자랄 때 끝 부분에 물이 많이 흐르면 커튼의 끝이 울퉁불퉁한 톱니 모양어 된다.

관음굴의 커튼

백룡굴의 커튼

또한 커튼은 자라면서 다양한 색을 띠는데 이는 빗물이 토양을 동과하여 지하로 흘러내리기 때문에 비의 양이나 지하수의 성분, 토양의 성분에 따라 달라진다. 지하수 속에 갈색 흙과 같은 성분이 섞여 있으면 커튼의 내부에 갈색 띠가 보이게 된다. 이러한 흙이 가끔 섞여서 들어오면 커튼 전제에 여러 개의 띠가 나타난다. 띠를 가진 얇은 커튼 뒤에서 빛을 비추면 마치 삼겹살 같은 무늬가 생기는데 이것을 외국에서는 '베이킨시트' 라고 부르기도 한다.

삼촌, 이름이 너무 웃겨요!

쩝~! 진짜 삼겹살이면 얼마나 좋을까?

꼼지야, 웬일로 그렇게 조용해?

응. 그냥….

심겹실 믹고 싶은 걸 참고 있는 중이거든.

이건 '유석' 이야.
동굴 벽면에서 흘러내린
지하수에 의해 만들어진
생성물이지.

관음굴의 유석

관음굴의 유석

와우~,
굉장하네요!

정말 감탄의
연속이에요!

환선굴의 성모 마리아
모습을 띤 유석

휴석과 휴석소

관음굴의 휴석

애들아, 바닥을 내려다봐라.

논두렁처럼 구불구불한 모양이 보이지? 바로 '휴석'이란다.

고수동굴의 휴석

휴석이요?

고인 물 위로 물방울을 떨어뜨리면 어떻게 될까?

에이, 물결무늬가 생기잖아요.

맞아. 휴석은 물방울이 동굴 바닥에 부딪히면서 그 충격으로 물 속의 석회 성분의 광물이 쌓이면서 물결 모양의 작은 제방을 이룬 것을 말해.

이 휴석은 논바닥처럼 넓게 형성될 수도 있어. 휴석으로는 물이 흐르는 방향을 알 수 있단다.

환선굴의 휴석

관음굴의 휴석

또한 물이 많아 둑을 넘어 아래로 흘러 쌓이기를 반복하는데 이처럼 계단식으로 생기는 경우도 있단다.

초당굴의 휴석

그리고 휴석 내에 물이 있어서 연못을 이루는 것은 '휴석소' 라고 해.

미림굴의 휴석소

휴석소는 조건에 따라 깊이가 다양한데, 깊은 것은 수심이 1미터 이상인 경우도 있단다.

꾸미야, 넌 키가 작으니까 조심해야겠다.

설마 내가 저기에 빠져 허우적댈까 봐? 누나나 조심해!

석화와 곡석

와, 꽃이다!
여기 이것 좀 봐.
예쁜 꽃 같은 게
있어.

화암굴의 석화

엥? 꽃이라고?

푸하하. 이 바보 야,
동굴에 어떻게
꽃이 피냐?

와! 진짜네.
예쁜 꽃처럼
피었네.

아이 참, 햇볕도
들지 않는 동굴에
무슨 꽃이 폈다고
호들갑이지!

와,
정말 꽃처럼
생겼잖아!

이것은 향기는
없지만 돌로 된
꽃, '석화' 란다.

어떻게
이런 모양이
만들어지지?
신기하다.

석화는 대개 물이 없고 습도가 낮은 곳에서 많이 생겨.

동굴 벽면이나 암석의 틈으로 스며나오는 아주 적은 양의 물이 얇은 막으로 있는데, 여기에 석회 성분의 광물이 쌓이면서 형성되는 거야.

그리고 모양은 주로 서릿발처럼 뾰족하게 사방으로 뻗어 나간 형태지.

고수동굴의 석화

미림굴의 석화

동굴에 이렇게 예쁜 꽃이 자라다니… 징말 동굴은 너무너무 신비한 곳이에요.

하하, 엄지가 석화에 푹 빠진 모양이구나….

고수동굴의 석화

와, 여기 완전 꽃밭이야.

용담굴의 석화

애들아, 여기에는 더 신기한 게 있어.

어디, 어디?

관음굴의 곡석

너무 예쁘지 않니? 이것도 석화일까?

여러 가지 모양의 곡석

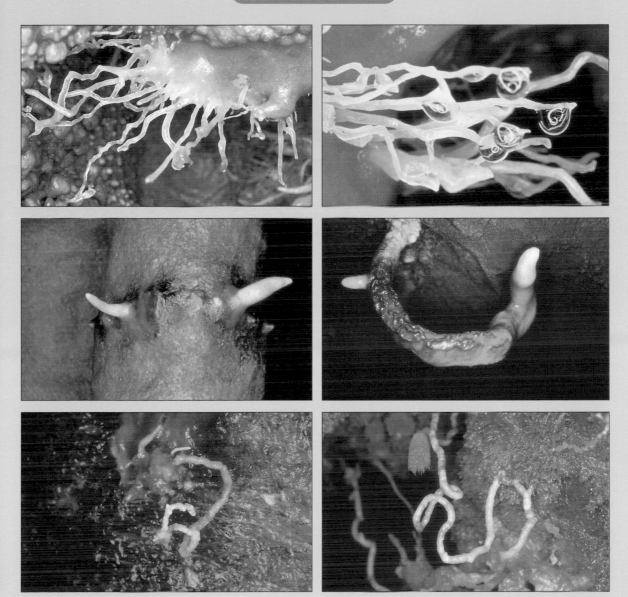

관음굴의 곡석들

이건 곡석이란다. '구부러지고 뒤틀린 돌'이란 뜻으로, 천장이나 벽면, 유석 등의 좁은 틈으로 스며든 물에 의해 자라지.

하지만 물이 직접 떨어지거나 흐르는 곳에서는 자라지 않고 대부분 석화처럼 약간 건조한 동굴에서 많이 발견돼. 그래서 좀처럼 보기가 어려운 생성물이야.

더구나 곡석은 중력의 방향과는 관계없이 상하좌우 마음대로 구부러지고 뒤틀리며 자라. 그런데 그 이유에 대해서는 아쉽게도 아직 정확히 밝혀진 것이 없단다.

관음굴의 곡석

제멋대로 자라는 게 꼭 꾸미 너 같다? 크크.

그래도 이 곡석은 꾸미처럼 귀엽게 생겼는걸.

누가 할 소리!

관음굴의 곡석

동굴산호, 동굴진주, 기타 동굴 생성물

백룡굴의 동굴산호

형아, 여기 형이 좋아하는 팝콘 있다!

하하하, 제대로 봤다. 정말 팝콘이랑 비슷하게 생겼지? 이건 동굴팝콘이라 불리는 '동굴산호'야.

진짜 팝콘이면 얼마나 좋을까! 아~, 아쉽다.

펑

동굴산호는 나뭇가지 모양이나 올록볼록한 혹 모양이 가장 많아.

관음굴의 동굴산호

동굴산호는 어떻게 생성될까요?

동굴산호는 생성 원인이 매우 다양합니다. 그 중 동굴의 벽면에서 스며나오는 물에 의해 형성되는 것으로 알려져 있고, 또 천장에서 떨어지는 물방울이 튀면서 석화 위에 물이 공급되고, 이 물방울이 석화 결정의 끝 부분으로 모이면서 생성되기도 합니다.

엄지야, 발밑에 동굴진주가 있으니 조심해라!

네? 동굴진주요?

어디, 어디! 삼촌, 진주가 어디 있어요?

여기 바닥에 쫙 깔렸잖아. 동굴진주는 천장에서 물방울이 세게 떨어지면 오목한 홈이 생기고

노동굴의 동굴진주

이 안에 있는 작은 돌조각 같은 물질 주위에 석회 성분의 광물이 달라붙어 동굴진주가 된 거야. 그리고 물방울이 계속 떨어져 동굴진주가 움직이면 바닥과의 마찰로 인해 표면이 반들반들하게 되지.

동굴진주는 홈 속에 한 개가 자라기도 하고 수십 개가 한꺼번에 자라기도 하는데 큰 것은 지름이 수십 센티미터나 되는 것도 있다. 성장 속도는 조건에 따라 다양하다.

고수동굴의 동굴진주

진짜 진주보다 더 예쁜 것 같아. 이걸로 목걸이 하면 예쁘겠지?

····

훼손된 동굴의 모습

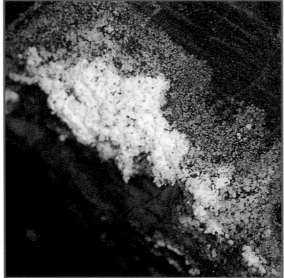

월유(옥계굴)

흰색을 띠는 아주 작은 광물 결정으로 이루어져 있다. 마른 상태에서는 밀가루처럼 보이고 굳은 상태에서는 마치 동굴산호처럼 혹 모양으로 보인다.

붕암(천동굴)

휴석소와 같이 물이 고여 있는 곳에서 만들어진다. 두께는 다양한데 두꺼운 것은 수십 센티미터에 이르기도 한다.

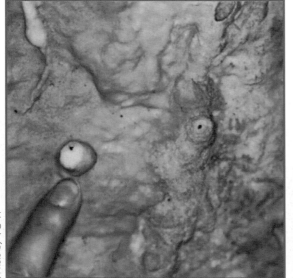

동굴기포(용담굴)

동굴 벽면에서 주로 발견되는데 다른 동굴 생성물 위에서도 자란다. 얇은 껍질 같은 막이 있고 가운데에 가스가 빠져나간 구멍이 있다.

동굴방패(관음굴)

동굴의 벽이나 천장에 붙어 있는데 둥그스름한 판이 가장자리를 향해 나이테와 같은 성장선을 그리며 점차 자란다.

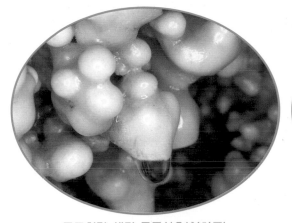

포도처럼 생긴 동굴산호(연하굴)

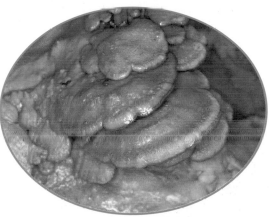

개의 이빨처럼 생긴 동굴산호(미림굴)

풍선처럼 생긴 동굴산호(관음굴)

버섯처럼 생긴 동굴산호(관음굴)

동굴 생성물을 이루는 물질은 무엇일까요?

동굴 생성물을 이루는 주된 광물은 방해석과 아라고나이트 두 종류입니다. 방해석과 아라고나이트는 둘 다 탄산칼슘 성분으로 이루어져 있지만 내부 구조가 다릅니다. 이처럼 두 광물이 성분은 같지만 원자배열 구조가 다를 때는 각각 독특한 화학적 성질을 가지게 됩니다.

대개 하나의 동굴 생성물은 하나의 광물로만 이루어지지만, 어떤 경우에는 두 광물이 함께 발견되기도 합니다. 왜 두 광물이 동시에 자라는지 정확히 알 수는 없지만 일반적으로 방해석과 아라고나이트는 생성되는 위치, 물의 화학 성분, 동굴 속의 온도나 습도, 동굴에 스며드는 물의 양, 동굴 주변의 석회암 성분 등에 따라 매우 다양하게 나타난다고 알려져 있습니다. 하지만 석회동굴에서는 두 광물 외에 다른 광물도 동굴 생성물을 만들어 낸디고도 합니다.

방해석

아라고나이트

여기 천장에 마치 종을 엎어 놓은 것처럼 파여 있는 것은 '용식공' 이란다.

고수동굴의 용식공 지하수가 동굴 천장에서 소용돌이치면서 암석의 부분부분을 녹여서 생기게 된 것이다.

꼭 소라껍데기 처럼 생겼네요.

이 모든 것이 물방울로 만들어 졌다는 게 새삼 신기해요.

삼촌, 아직 멀었어요? 우리가 이렇게 멀리까지 들어왔어나!

그래, 이제 얼마 안 남았으니 조금만 더 힘내자!

아! 아까 붙여 놓은 화살표가 보인다!

와! 빛이다.

파ㅅ

이게 얼마 만에 보는 빛이냐!

대장님, 어두운 동굴에 있다가 나와서 그런지 햇빛이 더 밝게 느껴지는 것 같아요.

펑

우아! 부차가 다시 변신했어.

해식동굴과 얼음동굴

삼촌, 지금 어디로 가고 있는 거예요?

슈우웅

응, 해식동굴을 보러 가는 중이야.

그런데 해식동굴은 파도에 의해 생긴 동굴로 석회동굴과는 달리 동굴 생성물이 전혀 없단다.

에이, 그럼 볼 게 없잖아요.

그럴 수도 있지. 해식동굴은 수평 구조로 구멍이 뚫려 있거나 깊이 패여 있을 뿐이니까.

그래도 보면 생각이 달라질걸? 우리나라는 삼면이 바다라 바닷가에 해식 동굴이 많단다.

뿌우우웅

흑산도의 옆목굴

83

슈우웅~

어머, 저것이 해식동굴이야? 예전에는 그냥 멋진 암석으로만 생각했는데….

홍도의 홍어굴

아, 난 여기서 멋지게 다이빙이나 했으면 좋겠다.

해라, 해! 빨리 뛰어내려!

으아악, 꼼지 살려!

큭큭!

해식동굴은 단순히 파도가 암석을 깎아서 생긴 것이지만

이 때 암석이 퇴적암일 경우에 또한 암석에 약한 틈이 있을 경우에 더 잘 만들어진단다.

바람의 방향 →

퇴적암

해식동굴

찾았다, 여기가 얼음동굴 입구야. 안으로 들어가 보자꾸나.

으아악!

미끄럭

얼음동굴 빙하의 내부가 녹으면서 물이 빙하 밖으로 흘러나가면서 만들어진다. 또한 크레바스라는 틈바구니 또는 수직 구멍이 나타나는데 이것들이 동굴이 되거나 동굴의 출입구가 된다.

빙하 안에 이렇게 멋진 얼음동굴이 있을 줄이야…

난 얼음 궁전에 갇힌 얼음 공주야.

아이, 추워! 난 빨리 나갔으면 좋겠구먼.

이런 경우에는 원래 있던 석회동굴이나 용암동굴 내부에 얼음으로 된 동굴 생성물이 만들어지지.

이 때 만들어진 동굴 생성물이 잘 녹지 않으면 얼음동굴에 포함시키기도 해.

하지만 여름에는 동굴 생성물의 일부가 녹고, 겨울이 되면 동굴 생성물이 또 생겨 나기도 하지.

석회동굴에 생긴 얼음 생성물

원 녀석들! 그새 춥다고 기침이냐?

에취

자, 그렇다면 이번엔 따뜻한 하와이로 가 볼까?

하와이요? 불타는 태양이 이글거리는 곳! 빨리 가요.

닌 지금 우리가 피서 가는 줄 아니?

용암동굴

우리가 하와이로 가는 것은 용암동굴을 보기 위해서야. 석회동굴과 더불어 대표적인 동굴이 바로 용암동굴이거든. 용암동굴은 화산 폭발 때 분출되는 용암에 의해서 생성돼.

화산 폭발 때 용암이 분출하는 모습

화산이 폭발할 때 용암의 온도는 섭씨 800~1,200도야.

엄청나다. 그런 용암에 빠지면? 으윽!

순식간에 재가 되겠지? 으, 끔찍해!

걱정 마. 그런 일은 없어.

화산이 폭발하면서 뜨거운 용암이 지표면으로 흘러내린다.

용암동굴의 생성 과정을 살펴볼까?

땅 위로 흘러내린 용암은 차가운 공기에 닿아 천천히 식는다. 이 때 용암의 표면이 먼저 식어 굳으면 용암동굴의 껍데기가 만들어진다.

한편 표면 안에는 아직 식지 않은 용암이 계속 아래로 흐르다가 밖으로 빠져 나가기도 한다.

용암이 뿜어져 나간 공간은 터널처럼 속이 비게 되는데 이것이 바로 용암동굴이다.

용암동굴은 화산암 중에서도 규산의 양이 적어 용암이 쉽게 흘러내릴 수 있는 현무암 지대에서만 만들어지는 특징이 있다.

아하, 그러니까 용암의 걸과 안이 식을 때 식는 시간 달라서 만들어지는 것이 바로 용암동굴이군요?

그렇지.

젯! 나도 알았는데….

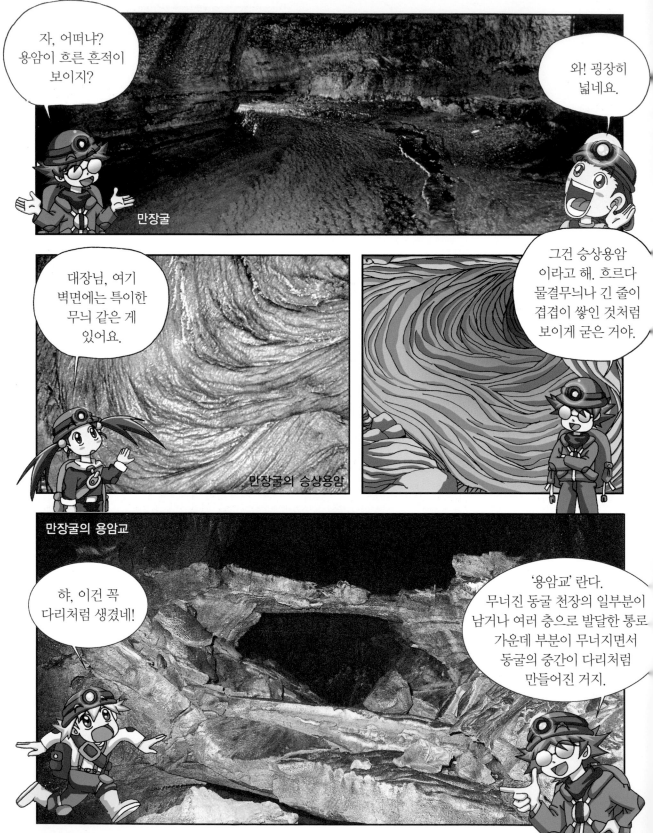

자, 어떠냐? 용암이 흐른 흔적이 보이지?

와! 굉장히 넓네요.

만장굴

대장님, 여기 벽면에는 특이한 무늬 같은 게 있어요.

그건 승상용암 이라고 해. 흐르다 물결무늬나 긴 줄이 겹겹이 쌓인 것처럼 보이게 굳은 거야.

만장굴의 승상용암

만장굴의 용암교

햐, 이건 꼭 다리처럼 생겼네!

'용암교'란다. 무너진 동굴 천장의 일부분이 남거나 여러 층으로 발달한 통로 가운데 부분이 무너지면서 동굴의 중간이 다리처럼 만들어진 거지.

미니 동굴에 몸이 낀 꾸미

아, 이건 '튜브인튜브' 라고 하는 미니 동굴이야. 이미 만들어진 용암동굴 안에 다시 용암이 흐르면서 동굴 바닥에 삭은 동굴이 하나 더 생긴 거지. 참 신기하지? 그만 다른 곳으로 가자.

튜브인튜브

|Photo by 우경식|

엄지야, 넌 밖에 나가면 뭐가 제일 먹고 싶니?

넌 어떻게 계속 먹는 타령이니?

햐, 여긴 나만 들어갈 수 있겠는걸. 한번 들어가 볼까? 히히.

스윽

용암종유, 용암석순, 용암석주

대장님, 용암동굴에도 석회동굴의 종유석이나 석순 같은 것이 있나요?

물론 있지. 그런데 용암동굴은 화산 분출로 만들어졌기 때문에 동굴 생성물이 석회동굴의 동굴 생성물과는 크게 달라.

석회동굴의 동굴 생성물은 아주 오랜 시간에 걸쳐 조금씩 자란다고 했지?

네 !

그런데 용암종유나 용암석순은 한번 굳어지면 더 이상 자라지 않아.

이걸 봐. 용암종유, 즉 용암고드름이야. 용암동굴이 만들어질 때 천장이나 벽에 붙어 있던 용암이 흘러내리다가 식어서 굳은 거지.

빌레못동굴의 용암종유

용암고드름? 정말 고드름 처럼 생겼네.

용암종유는 주로 높이가 낮고 폭이 좁은 통로에서 많이 발견된단다. 크기는 대체로 작아.

빌레못동굴의 용암종유

이건 용암석순이야. 천장의 한 지점에서 용암이 계속 떨어지면 이렇게 석순이 생기게 되지.

빌레못동굴의 용암석순

용암석순의 모양은 천장에서 떨어지는 용암의 양에 따라 다르다. 크기는 수십 센티미터에서 1미터가 넘는 것도 있다.

하지만 용암이 천천히 식으면 길고 가는 용암종유가 만들어져 수십 센티미터에 이르는 것도 있다.

빌레못동굴의 용암종유

빌레못동굴의 용암석순

그럼 이건 '용암석주' 겠네요?

우아!

정말 크다.

맞아. 이건 천장에서 용암이 흘러내려 바닥까지 닿아 기둥 모양을 이룬 용암석주란다.

용암석주도 더 이상 자라지 않기 때문에 쉽게 볼 수 있는 게 아니야.

만장굴의 용암석주

삼촌, 여기 풍선처럼 생긴 건 뭐예요?

아, 용암기구를 찾았구나.

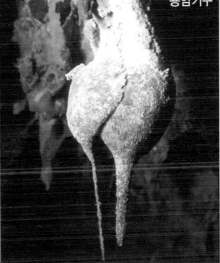

이건 덜 굳은 천장이나 벽면의 용암 내부에 가스가 차, 표면이 부풀어 오르다 굳어져 생긴 거야. 그러니 속은 비어 있지. 간혹 돌로 채워져 있는 경우도 있지만…

용암기구

| Photo by 우경식 |

압력

밀지 마, 이러다 터지겠어.

나도 자세히 볼래요.

떡

어? 헤드랜턴이 왜 이러지?

ㅅㅅㅅㅅㅅ

아차차, 이런! 헤드랜턴의 건전지가 다 된 것 같아, 아까 갈아 끼운다는 걸 깜박했네.

어서 가방 안에서 여분의 건전지를 꺼내 갈아 끼워라.

끼릭 끼릭

와! 아까보다 훨씬 더 환해진 것 같아요.

그러게 말야. 진작 갈아 끼울걸.

아, 곡석이다.

용암곡석이야. 동굴 천장에서 용암이 굳는 과정에서 가스가 빠져나가면서 만들어진 거지.

당처물동굴의 용암곡석

| Photo by 우경식 |

꼼지야, 동굴 탐사를 할 때는 되도록 참아야 하고 만약을 대비해서 비닐봉지나 빈 페트병을 준비하는 게 좋아. 알았냐?

네!

그리고 지금의 관광 동굴은 사람들 때문에 기온이 올라가고, 습도는 낮아지고, 이산화탄소가 많아져 심한 병을 앓고 있어.

곰팡이가 슨 종유석

사람들아 만져서 검게 변한 유석

| Photo by 우경식 |

그런데 너는 아무 생각 없이 오염 물질까지 버릴 생각을 하다니…. 좀 미안하지 않니?

죄송해요. 조심할게요.

크크크, 쌤통이다!

대장님! 이것 좀 보세요!

빌레못동굴의 규산화

너무 예뻐요.

동굴산호야. 보통 '규산화' 라고도 하지.

이 동굴산호는 용암동굴이 완전히 만들어진 후에 나중에 지하수가 스며들면서 계속 성장하는 동굴 생성물이란다.

용암동굴의 2차 생성물인 동굴산호는 지역에 따라 그 성분이 매우 다양해. 제주도 용암동굴의 경우 규산 물질로만 되어 있다고 알려져 있지만,

석회 성분도 포함되어 있는 것으로 밝혀졌어. 근데 대부분 흰색을 띠고 벽면 이나 바닥을 장식하지.

그리고 이건 규산질 용액이 기둥을 이룬 것으로 세계 최대 높이를 자랑하지.

말하자면 석주 같은 거네요!

으힉! 이게 세계 최대 높이란 말야?

빌레못동굴의 규산주 길이 28센티미터

또다른 2차 생성물

자, 용암폭포 아래로 내려가 볼까?

꾸미야, 괜찮겠니?

그럼요. 걱정 마세요.

영차 영차

어, 석회동굴에서 본 동굴 생성물이 여기도 있네.

용암폭포
용암이 아래로 떨어지며 폭포와 같은 모양으로 굳은 것

| Photo by 우경식 |

에이, 말도 안 돼요. 석회동굴에 생기는 동굴산호가 어떻게 용암동굴에 생길 수 있어요?

저도 쉽게 이해가 안 돼요.

이해하기 힘들 테지. 그렇다면 설명해 줄게.

조개껍질 등으로 이루어진 모래가 덮고 있는 제주도 당처물동굴 위의 전경

해안가에 있는 조개껍데기가 바람에 날려서 동굴 위를 덮는 모래가 되었고, 이러한 모래 속의 탄산칼슘 성분이 빗물에 녹아 동굴로 침투하면서, 석회동굴에서 보는 것과 같은 동굴 생성물이 자라게 되었다.

아니에요. 전 그냥 낙서를 지우려고 한 것뿐이에요.

푸드덕

아, 부차가 길을 알아 왔나 보다. 모두 부차를 따라가도록 하자.

후유~!

응? 이건 뭐지? 물컹한 게 냄새도 이상하고.

킁킁킁

꼼지야, 그건 구아노라는 건데 박쥐의 똥이 쌓인 거지.

허걱

동굴의 생물

날아다니는 포유류, 박쥐

윽, 더러워.
박쥐 똥을
만지다니….

큭큭.

박쥐 똥이 있는 걸
보니 이곳에 박쥐가
있다는 얘긴데….

박쥐

으아악,
바, 박쥐다!

사람 살려!
흡혈 박쥐다.

후다닥

인석아, 저 박쥐가
더 놀라겠다. 저건
흡혈박쥐가 아니야.

지구상에는 천여 종이 넘는 박쥐가 살고 있어. 하지만 그 가운데 흡혈박쥐는 아주 드물어.

주로 따뜻한 라틴 아메리카에 살고 있고 소, 말, 돼지 같은 가축의 피를 빨아먹을 뿐 사람의 피를 빨아먹지는 않아.

우리는 사람한테 해도 안 입히는데 왜 우리를 무서워하지?

맞아요. 박쥐는 오히려 해충을 잡아 먹는 유익한 동물 이라고 들었어요.

박쥐가 해충을? 에이, 잘못 들은 것 아냐?

칼스배드동굴
날이 저물자 수백만 마리의 박쥐가 동굴 밖으로 나가고 있다.

박쥐는 낮에는 캄캄한 동굴에서 잠을 자고 날이 저물면 밖으로 나가 해충을 잡아먹는단다. 하루저녁에 자기 몸무게의 반이나 되는 해충을 먹는다고 하니 정말 대단한 식성이지?

박쥐는 포유류
라고 하던데….

와, 엄지 누나
진짜 똑똑하다.
모르는 게 없네.

엄지가 제대로 알고
있구나. 박쥐는 새끼를
낳아 젖을 먹여 키우는
포유류야. 하지만
날아다니기도 해.

오, 날아다니는
포유류라! 근데
어떻게 날아요?

날개를 펴고 나는 박쥐

그건 박쥐의 손가락
사이에 있는 막이 날개
구실을 하기 때문이야
하지만 깃털이 아니기
때문에 새의 날개와는
완전히 다르지.

박쥐의 날개

새의 날개

그런데 빛도 없는 어두운 동굴에서 날아다니다가 서로 부딪치지는 않을까요?

아이고, 머리야.

야, 똑바로 보고 다녀.

박쥐는 어떻게 컴컴한 동굴을 날 수 있을까요?

박쥐는 눈으로 주위를 보면서 나는 게 아닙니다. 박쥐의 눈은 색깔을 구분하지 못하고 밝고 어두운 것만을 구분해 냅니다. 그래서 박쥐는 초음파를 이용하여 납니다. 초음파는 사람의 귀로는 들을 수 없는 높은 주파수를 말하는데, 박쥐는 2~10만 헤르츠의 초음파를 입과 코를 통해 발사한 다음 물체에 부딪혀 되돌아오는 초음파로 물체의 위치나 크기를 알아냅니다. 또한 물체가 딱딱한지 부드러운지도 알 수 있다고 합니다. 박쥐는 초음파를 보통 때는 1초에 10~20번 내보내고 앞에 장애물이 나타나면 1초에 250번쯤을 내보냅니다.

음, 앞쪽에 종유석이 있군. 옆으로 살짝 피해야겠다.

이렇게 해서 박쥐는 아무리 캄캄하고 좁은 동굴이라도 서로 부딪치지 않고 자유롭게 날아다닐 수 있는 거야.

게다가 초음파는 우리끼리 의사소통 하는 데도 쓰인다우.

대장님, 또 궁금한 게 있어요. 박쥐는 어떻게 거꾸로 매달려서 오랜 시간을 버틸 수 있는 거죠?

맞아, 물구나무서기 해서 1초 버티는 것도 얼마나 힘든데….

박쥐의 다리는 힘줄로만 되어 있어 근육이 붙은 다리와는 달리 오래 매달려도 전혀 힘이 들지 않는대.

박쥐의 발은 뒤쪽을 향해 있기 때문에 박쥐가 발에 힘을 넣든 빼든 상관없이 언제나 체중이 내리누르는 힘에 의해 발톱으로 동굴 벽에 매달려 있을 수 있는 거야.

박쥐의 무릎은 등쪽으로 구부러져 있고 발바닥은 배쪽을 향하도록 되어 있다. 발톱은 갈고리처럼 생겼다.

난 황금박쥐다!

어이구, 틈만 나면 장난이군.

하나 더! 박쥐 똥과 박쥐가 먹고 남긴 찌꺼기들은 동굴에서 살아가는 생물들에게 아주 중요한 먹이가 된단다.

박쥐 똥을 먹어요?

또아

구아노

이 구아노가 동굴 생물들에게는 중요한 먹이지. 우연히 동굴 속으로 들어온 생물의 사체와 낙엽도 중요한 먹이가 되지만 양이 적은 반면, 구아노는 양도 많고 규칙적으로 공급되므로 가장 중요한 먹이라고 할 수 있지.

동굴 생물들은 구아노 속의 미생물만 먹는 것이 아니라 여러 유기물도 같이 먹어. 뿐만 아니라 구아노는 비료로 사용되기도 해. 이처럼 박쥐 똥은 쓰임새가 다양하지.

그래서 박쥐가 살고 있는 동굴을 '살아 있는 동굴' 이라고 한단다.

그 밖의 동굴 생물들

대장님, 구아노를 먹는 동굴 생물들이 있다고 했잖아요. 박쥐말고 동굴 생물은 어떤 게 있어요?

나는 동굴에 박쥐들만 사는 줄 알았는데….

너희도 알다시피 동굴은 햇볕이 들지 않고 비도 내리지 않아 식물이 자라지 못해. 그러니 자연히 식물을 먹고 사는 초식 동물은 살 수가 없지.

먹을 게 없는 곳에서 살 순 없잖아.

동굴

대신 동굴은 온도와 습도 같은 환경의 변화가 거의 없고 생물도 많지 않아서 생존경쟁이 치열하지 않아.

그래서 동굴 밖에서는 멸종된 생물이 동굴 안에서는 동굴의 환경에 적응하여 아직까지도 살아가고 있는 거란다.

어, 삼촌! 여기 이상한 벌레가 기어 가고 있어요.

꿈틀 꿈틀

곤봉털띠노래기 몸길이 11~12밀리미터. 눈이 없으며 몸빛깔이 순백색이다.

이건 곤봉털 띠노래기야. 진동굴성 동물이지.

꿈틀 꿈틀

진동굴성 동물이요? 그게 뭐예요?

진동굴성 동물은 동굴에서의 생활에 완전히 적응되어 동굴 밖에시는 살아갈 수 없는 동물을 말해.

평생을 이 동굴에서만 살아야 한다고요?

그렇지.

어유, 너무 안됐다. 이렇게 어둡고 축축한 곳에서 평생을 살아야 한다니…

화면에 보이는 이 동물들은 석회동굴에 사는 진동굴성 동물들이야.

심복장님좀딱정벌레 몸길이 4.6~5.8밀리미터. 축축한 동굴 바닥에 살며 피부로 호흡한다. 짙고 붉은 갈색이다.

장님굴가시톡토기 몸길이 25밀리미터 정도. 배의 마디에 가시 모양의 돌기가 있어 톡톡 튀면서 다닌다.

긴꼬리좀붙이 몸길이 3.3밀리미터. 꼬리가 몸길이의 1.5배나 된다. 몸빛깔은 백색이며, 온몸이 털로 덮여 있다.

장님굴새우 몸길이 14~40밀리미터. 대표적인 지하수 생물로 흔하게 발견된다.

등줄굴노래기 몸길이 40~50밀리미터. 대표적인 동굴 생물로 흔하게 발견된다.

어, 그런데 애네들은 눈이 없나? 눈이 어디 있는지 잘 모르겠네.

오호, 관찰력 좋은데? 진동굴성 동물은 평생을 어두운 곳에서만 살다 보니 눈과 날개가 퇴화되어 없어진 것들이 많아.

몸빛깔도 투명한데요?

그건 빛이나 적으로부터 몸을 보호할 필요가 없기 때문에 대부분 동물들의 몸빛깔이 투명하거나 엷은 회색을 띠고 있단다.

그리고 이건 4~5억 년 전 캄브리아 후기에 살았던 곤충의 후손으로 알려진 갈르와벌레란다. 긴 더듬이와 튼튼한 다리가 있고, 날개와 눈은 퇴화되어 없어졌어.

갈르와벌레

4~5억 년이요? 상상이 안 돼요.

우리 나라의 갈르와벌레 종류

고수갈르와벌레 몸길이 22밀리미터

동대갈르와벌레 몸길이 38.5밀리미터

노동갈르와벌레 몸길이 28밀리미터

비롱갈르와벌레 몸길이 34밀리미터

2억 년 전

로라시아 대륙

곤드와나 대륙

팟

또한 북아메리카의 고산 지대, 시베리아, 우리나라, 일본의 동굴에서만 갈르와벌레가 발견되는 것으로 보아, 먼 옛날에는 북아메리카 대륙과 우리나라가 속해 있는 동북아시아가 서로 연결되어 있었다는 것을 추측할 수 있지.

삼촌, 여기 거미가 있어요. 이 거미도 진동굴성 동물이에요?

제주굴아기거미 몸길이 2.5~3밀리미터

아니. 이 거미는 호동굴성 동물이야. 동굴뿐만 아니라 동굴과 비슷한 환경의 육지에서도 같은 종이 살 수 있지.

진동굴성 동물과 달리 호동굴성 동물들은 눈이 완전히 퇴화되지 않았고 몸 색깔도 완전히 탈색되지 않은 편이야. 대신 날개는 퇴화되었지.

그렇군요.

석회동굴에 사는 호동굴성 동물들

김띠노래기 몸길이 20~30밀리미터. 눈이 없고 어릴 때는 백색이었다가 다 자라면 연한 적갈색이 된다.

입술접시거미 몸길이 6~7밀리미터. 그물을 치고 거꾸로 매달려 있는 것이 특징이다.

이 외에 주로 동굴 밖에서 생활하지만 때에 따라 동굴 안과 밖을 왕래하며 생활하는 동물들도 있어. 이런 동물들은 '외래동굴성 동물'이라 하지.

외래동굴성 동물의 대표적인 것이 박쥐야. 그런데 어떤 박쥐는 겨울 동안만 동굴에서 머물고 대개는 밖에서 생활하기도 해.

박쥐의 종류

붉은박쥐
몸길이 60~70밀리미터. 몸의 털과 귓바퀴의 색이 오렌지색으로 황금박쥐라고도 불린다.

관박쥐
몸길이 60밀리미터 정도. 특징은 겨울잠을 자는 동안 암수가 따로 떨어져 지내는 것이다.

제주관박쥐
몸길이 54~57밀리미터. 제주도의 용암동굴에 널리 서식하고 있으며 무리 지어 생활한다.

박쥐 외에 또 다른 외래동굴성 동물로는 나방류, 모기류, 거미류, 도롱뇽 등이 있어.

물결자나방 앞날개 길이 19~22밀리미터. 동굴에서 겨울을 보내고 다음해 봄에 밖으로 나가 알을 낳는다.

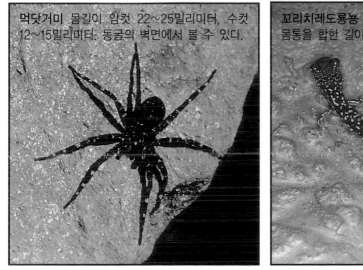

먹닷거미 몸길이 암컷 22~25밀리미터, 수컷 12~15밀리미터. 동굴의 벽면에서 볼 수 있다.

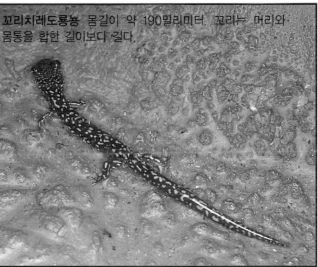

꼬리치레도롱뇽 몸길이 약 190밀리미터 꼬리는 머리와 몸통을 합한 길이보다 길다.

이 외에도 곰, 다람쥐, 뱀 등이 주로 겨울잠을 자기 위해 동굴 안으로 들어온단다.

아함, 내년 봄까지 잠이나 푹 자 볼까?

그런데 동굴 생물들도 나름대로 먹이그물을 형성하고 있다는 주장이 제기되고 있어.

하지만 지역이나 동굴에 따라 서로 살고 있는 동물들이 다르기 때문에 동굴 생물의 먹이그물에 대한 연구는 아직 진행중이다.

거미

박쥐

노래기

미생물

꼽등이

구아노

그러니까 구아노와 지하수 속에 섞여 들어온 플랑크톤과 유기물은 동굴 생물들이 살아가는 생명의 원천이라고 할 수 있어.

음, 똥이라고 하찮게 보면 안 되겠네요.

그렇지. 자, 다 나온 것 같구나. 그래, 용암동굴을 둘러본 소감이 어떠냐?

뭐, 그게….

넌, 죽다 살아난 것만 생각나지?

동굴에는 박쥐말고 아무것도 사는 게 없을 거라 생각했는데, 이렇게 많은 생물이 살고 있다니 정말 놀라울 뿐이에요.

와, 역시 바깥 세상이 더 좋아!

아니, 동굴이 좋다고 할 때는 언제고…. 저 변덕쟁이.

벌써 저녁때가 다 되었네.

노을이 너무 아름다워요.

애고, 이 옷 보면 엄마가 또 한소리 하시겠지?

어유, 어쩌지?

동굴 탐사 간 것 다 아는데, 뭐…. 근데 몸들은 괜찮어?

아아, 생각해 보니 다리가 저려요. 삼촌 못 걸을 것 같아요.

동굴의 이용

누가 그림을 저렇게 못 그렸지? 꼭 꾸미가 그린 것 같다.

이래 봬도 아주 중요한 그림이야.

쳇, 그러는 형은 나보다 더 잘 그리냐?

프랑스 라스코 동굴 벽화

끄응, 또 시작이군. 저렇게 철없는 애들하고 같이 못 놀겠네.

우당탕

퍽 퍽 퍽 퍽

엄지야, 신경 쓰지 말고 이 벽화나 봐라. 이것은 원시인들이 그린 거란다.

원시인들이요?

부우웅

원시인들이
그림을
그리다니….

원시인들이 사냥을
마친 후에 승리를 기념
하며 동굴 벽에 그림을
그려 넣은 거야.

구석기시대까지만
해도 사람들은 집 없이
먹을 것을 찾아 이리저리
옮겨 다니며 살았어. 그런
그들에게 동굴은 집이나
마찬가지였지.

휴이잉

파앗

비바람을 피하는
데는 역시 동굴이
최고야!

암, 그렇고
말고!

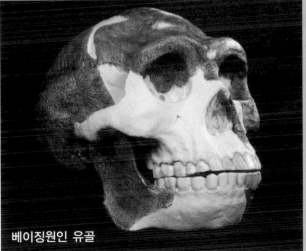

베이징원인 유골

🙂 사람이 동굴에 살았던 증거

베이징 근처 저우커우뎬의 한 석회동굴에서 베이
징원인의 유골이 발견되었는데 이 유골은 약 70
만 년 전의 것이었습니다. 이 외에도 이라크의
샤니다 지방의 동굴에서는 약 4만 년 전의 것으
로 보이는 네안데르탈인의 유골이 발견되었고,
호주, 영국, 프랑스, 남아프리카공화국 등의 동굴
에서도 약 2만 년 전 인류의 조상으로 보이는 유
골들이 발견되었습니다. 그런데 이들이 살았던
시기는 모두 빙하기여서 원시인들은 추운 기후를
견디기 위해 동굴로 들어가 살았을 가능성이 높
습니다.

사람의 유골뿐만 아니라
동굴에서는 동물의 뼈도 발견되고
돌이나 동물의 뼈와 이빨로 만든
다양한 생활 도구와 연장들이
발견되기도 했어.

동굴에서 발견된 동물의 뼈

| Photo by 우경식 |

우리나라에서도
동굴을 주거지로 이용
했다는 것이 밝혀졌어.
오리나무를 꺾어다가
불을 피워 사슴고기를
구워 먹기도 하고

진달래 꽃가루가
동굴 주변에서 발견된
것으로 보아 아마도 동굴을
아름답게 꾸며 놓으려 한
것이 아닌가 하고 추측
하고 있지.

또한 흥수굴에서는 4만 년
전의 어린아이 뼈가 발견되었는데
아이의 시신 주위에 국화꽃을 뿌려 놓은
것으로 봐서 동굴에서 장례 의식을
행한 것으로 추측된단다.

뉴질랜드의 와이토모동굴은 동굴 속에 흐르는 하천을 이용하여 래프팅을 할 수 있게 관광지로 개발하였다.

동굴에서 래프팅을 하니까 아주 색다른걸.

야호! 신난다.

동굴에서 농산물이나 해산물을 보관하기도 한다.

우리 새우젓 맛의 비법은 바로 이 동굴의 낮고 일정한 온도에 있답니다.

이처럼 동굴은 옛날부터 지금까지 사람들이 생활하는 데 여러모로 편리하게 이용되어 왔단다.

동굴의 쓰임이 정말 다양하네요.

난 동굴이 너무 좋아!

크흐흐, 꾸미 넌 집에 가면 엄마한테 혼날 일만 남았다.

내가 왜?

왜라니? 얘기도 안 하고 왔으니 엄마가 얼마나 찾았겠냐?

우리나라의 석회동굴은 강원도의 영월, 평창, 정선, 강릉, 삼척 등과 충청북도의 단양 일대에 넓게 분포 되어 있단다.

그런데 아직도 발견 되지 않은 동굴은 많이 있을 거야. 우리나라의 대표 동굴들이 이디 있는지 살펴볼까?

우리나라의 대표 동굴

경상북도이 울진과 평해, 진라북도의 익산, 전라남도의 화순, 경기도 휴전선 근처에도 석회암 지대가 있고, 북한에는 평안남도와 평안북도에 남한보다 더 넓은 석회암 지대가 있는 것으로 알려져 있다.

경기도
서울

강원도

백룡동굴, 광천선굴, 산지당굴

옥계굴, 농대굴, 서대굴, 남대굴, 일곡굴

강릉

평창

정선   화암굴, 비룡굴, 산호동굴

영월   삼척   관음굴, 환선굴, 초당굴, 대금굴

태백   용연동굴

단양

울진   고씨굴, 용담굴, 대야굴, 연하굴

석류굴

고수동굴, 노동굴, 금굴, 온달동굴, 천동굴

충청
남도

충청
북도

경상북도

천호동굴   익산

전라북도

경상남도

화순
전라남도   여수

오동굴   동안경굴

제주도

빌레못동굴, 만장굴, 김녕사굴, 협재-쌍룡굴, 황금굴, 미천굴, 수산굴, 오흡굴, 한들굴 용천동굴, 당처물동굴, 벵뒤굴

석회동굴 – 파란 글씨
용암동굴 – 빨간 글씨
해식동굴 – 초록 글씨

관음굴

우리나라의 대표 동굴 중에서 관음굴을 먼저 보자.

관음굴은 대이리 동굴 지대에 위치한 세계에서도 손꼽히는 유명한 동굴이야.

동굴 밖으로 계속 물이 흘러 나오고 있네요.

관음굴 입구

그래. 이곳을 고무 보트를 타고 가면 깊이가 3미터나 되는 '공포의 연못'이 나와. 반면 천장까지의 높이는 60센티미터 밖에 되지 않지.

연못

유석과 연못

폭포

환선굴

관음굴과 함께 대이리 동굴 지대에 위치한 환선굴은 우리나라에서 가장 규모가 큰 석회 동굴이야.

환선굴의 통로는 직경이 15미터 이상으로 그 웅장함은 다른 동굴과 비교할 수 없을 정도야.

우아~, 정말 넓네요!

흑백유석

중앙 광장은 수백 명이 모일 수 있을 정도로 넓어. 또 흑백유석은 세계 어느 동굴에서도 찾아볼 수 없는 환선굴만의 자랑이란다.

또한 지하수가 많이 흐르기 때문에 꿈의 폭포, 24탕 등 연못이 많고 폭포도 32개나 되어 사람들은 마치 지하 계곡을 걷고 있는 듯한 느낌을 받기도 해.

와! 정말 환상적인 동굴이네요.

꿈의 폭포

빌레못동굴

이곳은 우리나라 용암동굴 중 단일 동굴로서는 가장 긴 빌레못동굴이야.

빌레못동굴은 복잡한 미로 형태의 지형으로 60개의 가지굴이 있다.

특히 이 동굴에서는 황곰 뼈 화석이 발견되었어. 이것이 옛날에는 제주도가 육지와 연결되어 있었다는 증거가 되고 있지.

와! 놀라워요.

부우웅

또한 사슴, 노루 등의 뼈를 비롯해 돌로 만든 무기와 물고기를 잡을 때 쓰던 골각기, 목탄 등이 발견돼 선사시대의 생활상을 잘 보여 주고 있다.

용천동굴

용이 솟구치는 모양의 호수가 있다고 해서 '용천굴' 이라는 이름이 붙었지.

이 동굴은 가장 최근에 발견된 용암 동굴이란다.

조사 결과 호수는 폭 7미터, 길이 200미터, 깊이 6~15미터로, 조사가 더 진행되면 그 규모는 더 클 거라고 예상하시.

또 약 1킬로미터에 걸쳐 석회 동굴에서나 볼 수 있는 탄산칼슘 성분의 2차 생성물이 장관을 이루고 있다.

더욱이 전복과 조개껍데기 등이 발견돼 옛날에는 이 동굴이 바닷속에 잠겨 있었을 것으로 추측하고 있어.

통일신라 시대의 것으로 추정되는 토기 파편들과 숯이 발견되기도 해 문화적인 가치도 인정받고 있다.

세계에서 가장 깊은 동굴

깊은 동굴에는 무시무시한 괴물이 살고 있을 것 같아!

자, 지금부터는 세계에서 최고를 기록하고 있는 동굴을 소개한다.

다다다다

먼저 가장 깊은 동굴을 볼까?

입에서 불을 내뿜는 용 같은 것 말이지?

너희 지금 만화영화 보니? 웬 괴물 얘기야!

애들아, 세계에서 가장 깊은 동굴은 그루지아 북서부 아브하지야의 크루베라동굴이야.

탐사대가 2,080미터까지 탐사해서 기록을 세웠지. 하지만 탐사대원들은 깊이가 더 깊을 거라고 확신하고 있어.

참고로 우리나라에서 가장 깊은 동굴은 정선의 유문동동굴로 깊이가 184미터란다.

세계에서 가장 넓은 동굴

그리고 세계에서 가장 넓은 동굴은 사라와크 동굴이야.

●사라와크동굴

보르네오 해
사바
사라와크
칼리만탄 섬
(보르네오 섬)
자바 해
사라와크 동굴

말레이시아의 물루 지역에 있는 이 동굴의 동방은 넓이가 162,700제곱미터에 이른다고 한다.

이 넓이는 축구장 일곱 개가 들어갈 정도의 규모야.

아이고, 너무 넓으니까 축구하는 것도 힘들다.

헉헉헉

헉헉헉

또 이 동굴과 연결되어 있는 디어동굴은 동굴 입구가 세계에서 가장 크대.

입구가 크다니까 입큰동굴로 부르는 것도 괜찮겠다!

크흐, 엄지가 썰렁 개그를 하다니….

디어 동굴의 입구

155

세계에서 가장 긴 동굴

이번엔 세계에서 가장 긴 동굴에 대해 얘기해 주지.

팔락 팔락

역시 세계 최고라 하는 동굴은 어마어마하네요! 가장 긴 동굴도 상상을 초월하겠죠?

매머드동굴

그래. 미국 켄터키 주의 매머드동굴이 가장 긴데, 지금까지 탐사된 길이만 약 579킬로미터가 된대. 지금도 탐사가 계속되고 있으니까 앞으로 더 늘어날 가능성이 있지.

에구구, 죽이 척척 맞는 걸 보니 역시 형제는 형제구나.

으힉! 그 동굴을 다 보려면 동굴에서 몇 밤을 자야 하는 거 아니야?

그렇다면 먹을 것도 아주 많이 준비해야겠지?

Why?

과학을 잘하고 싶다면, 우리 주변에서 볼 수 있는 모든 것에 '왜?' 라는 질문을 던져 보세요.
과학의 발전은 아주 작은 호기심에서 출발합니다.

Why? 우주
감수 조경철
(이학박사)

Why? 바다
감수 한상준
(한국해양연구소 원장)

Why? 날씨
감수 안명환
(전 기상청장)

Why? 곤충
감수 최임순
(이학박사)

Why? 똥
감수 박완철
(한국과학기술연구원 책임연구원)

Why? 물
감수 신항식
(한국과학기술 건설환경공학과 교수)

Why? 로봇
감수 오준호
(한국과학기술원 기계공학과 교수)

Why? 외계인과 UFO
감수 맹성렬
(한국유에프오연구협회 연구부장)

Why? 자연재해
감수 이윤수
(한국지질자원연구원 선임연구원)

Why? 질병
감수 지제근
(서울대학교 의과대학 명예교수)

Why? 물리
감수 김제완
(과학문화진흥회 회장)

Why? 인체
감수 박용하
(한국생명공학연구원 책임연구원)

Why? 컴퓨터
감수 박순백
(컴퓨터 칼럼니스트)

Why? 식물
감수 김태정
(한국야생화연구소 소장)

Why? 동물
감수 최임순
(이학박사)

Why? 지구
감수 조경철
(이학박사)

Why? 환경
감수 최열
(전 환경운동연합 사무총장)

Why? 생명과학
감수 박용하
(한국생명공학연구원 책임연구원)

Why? 핵과에너지
감수 김정흠
(전 고려대학교 명예교수)

Why? 사춘기와 성
감수 이혜성
(한국청소년상담원 원장)

Why? 공룡
감수 이융남
(한국지질자원연구원 선임연구원)

Why? 화학
감수 김건
(고려대학교 이과대학장)

Why? 발명·발견
감수 왕연중
(한국발명진흥회 특허관리지원팀장)

Why? 남극·북극
감수 김예동
(해양연구원 부설 극지연구소 소장)

Why? 화석
감수 이융남
(한국지질자원연구원 선임연구원)

Why? 독 있는 동식물
감수 심재한
(한국 양서·파충류 생태연구소 소장)

Why? 동굴
감수 우경식
(강원대학교 지질학과 교수)

Why? 갯벌
감수 임현식
(목포대학교 갯벌연구소 소장)

Why? 로켓과 탐사선
감수 채연석
(한국항공우주연구원 연구위원)

Why? 교통수단
감수 송성수
(과학기술정책연구원 연구위원)

한국과학문화재단 선정 우수과학만화(우주·바다) / 한국과학문화재단 선정 우수과학도서(날씨·똥) / 교보문고 좋은책 150선 선정도서(곤충) / 한국일보 제정 한국교육산업대상 수상